Esteban A. T(

Laberintos II

Ecos del silencio

LABERINTOS II
ISBN: 9781796968675

PRIMERA EDICIÓN

LACUHE EDICIONES
LACUHEEDICIONES@GMAIL.COM
IMPRESO EN LOS ESTADOS UNIDOS DE AMÉRICA
DIAGRAMACIÓN Y DISEÑO INTERIOR POR YORMAN MEJÍAS
FOTOGRAFÍA DE PORTADA: TAURUS AETERNUM (NEW YORK: SIGLO XX), AUTOR: ÁNGELO ROMANO

Cuando salgas a la ida hacia Ítaca,
Pide que sea largo el camino,
lleno de aventuras, lleno de conocimientos...
Siempre en tu mente ten Ítaca.
La llegada allí es tu destino.
Pero no apresures en nada el viaje.
Mejor que por muchos años se prolongue;
y, ya viejo, ancles en la isla
rico con cuanto ganaste en el camino,
sin esperar que te dé riquezas Ítaca.
Ítaca te dio el viaje hermoso.
Sin ella no hubieras salido al camino.
Pero no tiene ya qué darte.

Ítaca
Constantino P. Cavafis

Laberintos II
(Siglo XX)

Esteban A. Torres Marte

I

Es en el establo del laberinto donde la conciencia -él y yo- y la especie, se separaron. El día previo bajo un sopor de lucidez vio el camino o sendero solar cruzar cerca de unas sombras. Frente al resplandor inaudito de una perfecta soledad había pedido su nuevo matrimonio.
Ella -instante absoluto- había dispuesto de antemano la cámara nupcial. Entre el gemido orgásmico de esa luna de miel experimentó la ausencia de compañía. Pero ella no estaba allí. Un olor profundo de alcanfor exaspera la higiene lúgubre de todo encuentro. El labio vaginal se expandía en una mariposa volátil de mil contornos. He llegado al inicio del poema…, un vahído de premoniciones se esforzaba en contener ese miedo rígido de los viejos tiempos. Al despertar de la aurora percibí mi cadáver frente al abismo.

II

Esforzado en aquel santuario sin íconos vi un manantial obsoleto y tartamudo. Un viento despiadado distorsiona mi silueta. En el frente del altar una sombra muda se balancea de un lado a otro. Miraba que en cada movimiento pendular de la sombra existía una melodía incomprendida. Adiviné el sacrificio frente a la ofrenda. Versátil penetra en la escotilla donde se inmola la palabra. Brevísimo, pero real, un torrente gelatinoso y espumoso se abría camino en el espacio de la sombra. Exhalé una risotada enorme en el templo. La perfidia se confundió con silencio y abandono.

III

Fue en la estación de la siembra y el albor
cuando el obsoleto rocío principia su trayecto,
acontece más allá de mi extensión
donde un acicalado jardín desprendía su humor
sacrosanto;
miraba con la intención y volvía en mí el regreso
de aquella transpiración,
no era posible: mi verbo asume la independencia
del yo;
un alarido espantoso frente al muro del lamento
oscilaba frente a aquella fuente,
de pronto al inclinarme sobre un resquicio de la
calle estalló el lamento...
El verbo se alejó dejando a un cuerpo huérfano
situado con la vida de anhelos.

IV

Aprendí a amar lo insolente de un capullo casi inerte,
como si un bastón de alambres mantuviera el sospechoso equilibrio
ese deceso de crisis pasajera causó un diluvio de sueños;
aparecía un colorido de fiestas rubí a las cuales negué mi faz,
me lancé a la colección de un anaranjado-espeso,
necesitaba abandonar esa nitidez pálida.

Este entorno versátil de somnolientos y durmientes...

V

Ayer recordé lo del camino angosto,
cuyos bordes verdes asimétricos me conducían
hacia un final,
final de solapas y accidente.

Siempre hacia donde cae el sol,
trayecto asombroso plagado de madreselvas
hueco trashumante por donde se cuela la vida,
porque al fin y al cabo agotando la vigilia permea
la noche,
esa locura cósmica de viajes y aconteceres... un
juego más.

VI

Aterciopelado el caracol de mi soledad,
viviente refugio de mil y un eco,
agotado el último ritmo cadencioso e insuflado,
viví refulgente en los mares cubiertos de algas;
allí, y siempre acá un toque de sobremesa,
me abrió un espantoso delirio: de lo poco,
mucho.

Balbucear y trepar el tejido del coleóptero,
arácnido teñido de escombros y voz: la invitación
mató el encuentro.

VII

Ocurrió después de la fiesta de Pentecostés,
fue una mañana tibia y amena
cuando de repente un sapo trepa en mi corona craneal,
lo vi tal cual era:
un lago sirvió de escondrijo y refugio,
su contacto me asumió en una ternura de quejas y lamentos,
acontece como un resucitado,
evanescente y ligero:
desde ese día espejo y renacuajo violan este insomnio crepuscular.

VIII

No fue en primavera sino en otoño,
cuando el héroe Aquiles había alquilado una carreta;
tampoco las huestes infernales posan en primavera donde son devorados por el hígado,
tampoco el panegírico de Piscis culmina en la fiesta.

El ciclo es el espejo de la muerte donde el fuego es su doble: nitidez y crescendo vierten la bilis del fantasma del viento.

IX

Novena alusión: sobre grietas que alcanzan de pleno asilo la flacidez de una copa. De sabia esperanza vi el vuelo del halcón. Pico agudo y garras imbatibles. Detrás de la cortina y en espacio abierto, y por reflejo un emponzoñado sueño de viaje y descolor. Descentralizada la panorámica y a lo lejos divisé el vaso cual color rugiente de la esmeralda. Tomé de su aljibe angosto la sangre aposada (pardo-negruzca) e invoqué a la sombra (aquí como palidez), para que me liberara de la luz (allí como melodía).

X

El secreto alucinante lo percibí en el aura del fuego. Casi ardiente. Casi líquido. Una esperma con color numinoso salió de mí en forma de espanto. Casi sin mí, y apenas con un balbuceo troglodita caí en el túnel aligerado de la carga. Vi el pasado a través del presente incierto. Advertí el sentido de lo impermanente. El pensamiento derrumbado frente al altar del vacío. Qué insomnio de libertad en fracciones de segundo. Allí a través..., en la rendija del silencio: yo no soy sino aquello de lo que provengo. Yo soy el círculo sin los infinitos puntos... yo no soy...

XI

La hora en el crepúsculo convulso,
a veces despierto, soñoliento y muerto…
a veces frágil en el escenario de la rivera
pulsando la cítara al viento frío,
mascullando la sobredosis del aliento,
ayer temprano
hoy tarde
como glosario de la risa como espectáculo
sombrío.

XII

Transitando lento sobre la superficie helada,
de un prisma multicolor,
sobresaltado en las murallas de la vigilia,
como hormiga de la colmena,
cabizbajo del sueño y la pesadilla
creando el túnel del espanto y asistiendo tuerto al
fantasma de los deseos.

XIII

Como en mayo
y en la víspera obsesa de los horizontes
sintiendo de la nada el precioso bálsamo del
silencio.

Frente a la cópula teñida de sangre resarcida de
una exhalación bicéfala,
en el extremo del alba
en el canto sin sonido.
Yo no soy el que seré: pavo real.

XIV

La palabra en la noche
frente a la lámpara opaca,
fluido nostálgico del avestruz,
ponzoña maloliente que niega su refugio,
y en cambio el espectro fétido
que descansa en el cadalso tentado por el ósculo
luciferino de un pluscuamperfecto.

XV

He dejado de visitar el final de la ruta. En el lugar donde la importancia del agua hace desfigurar en jeroglíficos de zapatos la visión desfigurada. Allí donde la nieve poblaba una acera en el autobús, se reabre el silencio de una desidia. También he abandonado el viejo bus que trepaba las calles que circulan el viejo lago contiguo a un gran aeropuerto. Muero con las luciérnagas que se agitan después de un invierno tempestuoso, sus últimos estertores. Camino sin senda posible, sujeto al fuego de las emociones, casi raras, casi nada. Por eso apartó el sagrario-delirio, y he comenzado a arropar con sábanas luctuosas el gigante preámbulo de una historia falaz.

XVI

El insomnio que adolece de tristezas. Esa forma espantosa de agravio y suspiro.
La noche que brama ese silencio promiscuo ¡Oh Soledad! Dadora de dones. Ese encuentro conmigo sin dichas, sin malentendidos, sin corbatas, sin piyama..., desnudo, frente al espejo de todos: soy el único irrepetible. ¡De rodillas que cantan *mortis*!

XVII

El sonido que no cesa en la urbe. Las lluvias a destiempo incesantes. Esa vertiginosa náusea a la palabra: allí se puebla de peces y Altamira. Su visión iracunda ante la catedral de la gran ciudad. Caminar en el césped como anónima bacteria peligrosa. Revólver en mano que apuntan el verdor. Viví ese desierto agudo después de la implosión. El sonido posee ese mostacho de diablo, curandero de festín..., terapeuta y locutor de academias. El verso queda sordo... ¡Levanten armas! El horizonte puebla la desesperanza primaveral. Sentí la vida como el iris envenenado. La mancha amarilla que crecía cercana al límite del verde esmeralda. Me encontraba solo, en el centro de muros y bajeles, la asfixia es mi ritmo descentralizado.

XVIII

Hay lugares prohibidos que a fuerza del tiempo perdieron su candor. Lugares, cuyas calles y patios, otrora vertederos de emociones se hicieron parajes donde la luz mortecina de un nuevo esplendor catapultó la imagen. Rostros cuyas edades dotaban a la inteligencia de un fulgor de ópalo. Hoy sin embargo dicho barniz emponzoña la calavera.

XIX

Anoche soñé que el corazón latía al mismo tiempo que un quejido noctámbulo del mar en zona bravía. Anoche sentí lo amorfo y vago. La ilusión viaja en trenes. La vida duerme auroras. Un día pensé que de tanto soñar, el sueño era otro..., ella. Mi arquetipo fluido como imagen viajante en el díscolo muestrario de las antigüedades. Hoy con la salida del sol me imaginé que soy una sombra más entre tantas: un sueño del azar.

XX

Transitando lento sobre la superficie helada
de un prisma multicolor sobresaltado en las murallas de la vigilia.

Como la hormiga de la colmena
cabizbajo del sueño y la pesadilla
creando el túnel del espanto
y asistiendo tuerto al fantasma de los deseos.

XXI

En el borde del contorno, eres haz de aparecido
La silueta es el horror
la voz es un estado,
el sonido en el tiempo: un pecado capital.

Estas huellas batidas al desdén
una precocidad inminente

¡Oh diademas de mil puntas!
Báculo opaco
conducto feliz
¿Dónde entonces tu infinito?
¿Por qué prolongas en círculo?
El frío es tu esencia

La náusea una embriaguez feliz
este gesto de ternura: la muerte
¡grutas solitarias!

Galaxias que alejas, describen lo irritado
en dónde pues descansas minotauro de la noche.

XXII

Sobre cuánta ruina vive este ente marchito
qué cumbre busca la palabra
si en cada recodo: la piedra espera
como el ladrón

Piedra, porque el Ser es el planeta,
sobre ti bendito alucinado
caen las golondrinas del tiempo

La historia como quejido mostrenco
cuyas quijadas desmiembran
este vacío insólito

Este peregrinar rotado, anulado
es nuestra esperanza circular

Canto arraigado en la semilla
como revés

Naciste en el vientre anclado
en la servidumbre pasiva
en el ocio creador
en la violencia pasional
morir entonces en la víspera de la luz
en el feto increado.

XXIII

Tardío se acercó este crepúsculo de sombras
de intenso ahogo soportado
como el día que acaba incinerando
el brillo troglodita de una vieja esperanza

De un desdén a tiempo...
como el lago que hace permutar
los viejos silabarios

Como el ritmo de la canción que no cantaremos

Antes del estruendo, descendimos
en la vereda del tiempo-margen

Caímos por sospecha en el viejo itinerario

El obseso del día y la flor crecida en púas

A lo lejos: bien lejano
la penúltima trastienda
el hedor semántico.

XXIV

También el horizonte de la tarde
se ha interpuesto fallido,
como en el ayer de las despedidas de los
perfumes y de la seda.

Con esa manera de morirse en los trenes,
autobuses y calles,
así a veces respiro el hondo pesar de las
distancias,
vago detrás de mi propio mito,
en el instante de verla:
tumba, pasto y nido planetario,
de saberla planta y granizo de la otra estación.

Cuando piso el otro escalón,
entonces asalta su cintura, ese maleficio del
deseo,
una manera de matarla y resucitarla,
de vivir a expensas de los brotes,
de las carcajadas perennes.

Había dejado a la extranjera ocupar el sitial,
                    la otra vereda de mi vida,
                    el solitario.

Había confundido la gramática:
el viento implacable
con su ahogo infantil. En las noches precedentes
esa su silueta vagaba en el túnel de mi pensamiento.

Aquejada de sus mil amores
(de sus millones de aristas, de sus mil mentiras)
se despedía a raudales en la sequedad
del témpano: comí jazmín y vomité caracoles.

Ahora comprendo, ahora veo el cadáver de lo que
se desprendió
funesto de mí.

Una parte mía vagaba en lo insondable del océano.

Como nunca, sabía de lo instantes, del egoísmo traducido en el folclor de las compras en las esquinas de Broadway: casi siempre llovía.

Tu pubis sabe a lluvia;
a garita de agua del mar.

Querrás ocultar quien te buscó, quien poseyó en el fondo de los mares aquel secreto del Minotauro, del dolor de las extremidades,
sé muy bien que me oíste en el sueño:
te soñé corazón y larva.

Resucité en ti las mil espadas. Por eso envié a las amatistas el mensaje que no se pronuncia. Por eso Cuarzo está ahí frente a la lámpara y los ataúdes... algún día te encontraré microscópica.

Se hace larga esta noche: duermo ansiedades.

Así comencé a comprender cuán idiota seguía a ese fantasma, al cuerpo del desdén.

Comprendí por un instante que su voz era ese eco fúnebre de los tormentos...
Por qué soñé de esa manera, su rostro-almohada: su cuerpo-isla.

Me moría entre el invierno y la primavera,
me mató el verano.

En los grandes funerales sobran las flores, restan las miradas,
me moría en ese laberinto sin imagen.

¡Comprendo!, también odié el avión inmenso
que transportaba rocío y turquesa...

Ese fangoso recuerdo de irse, de volver...
Quizás al fantasma.

Ya perdí la oscuridad insólita y brotaba feto...
ser de mí...
Odié concomitantemente su brillo, ese fulgor de la mirada,
Odié la razón y amé la sinrazón... la traición y el teatro,
porque su ritual era vida; voracidad y calma...
Me encargué de anular el frío de sus manos, el temblor eterno de sus dientes.
Allá su pulso frotaba néctar, lo otro;
entonces rechacé el olfato al sudor del cuerpo, a toda carcajada: a toda sonrisa.

Las noches de verano suelen agotarse en una especie de círculo y ocaso;
odiaba el verano... me enfermaban las caricias.
Deseaba la lluvia que no cesa: maleficio eterno del encantamiento.

Entiendo porque al cruzar tu cintura con los brazos del tiempo, bostezas espacio, clamas perdón.
Divides tu historia... después del mar y antes del hoy. Sabes permutar y olvidar como las arañas de las casas abandonadas.
Te miran los insectos, te enternecen las amapolas.

Cambias a la epopeya y crujes lo lírico... te sabes cielo e inalcanzable.
Crees conocer lo que imputa. El poeta te piensa y te entrega en bandeja para
que los pájaros te "piquen la mirada".

Cuánta miseria abandonada en la palabra: regreso.

No volviste en verdad; tu cuerpo traducido en tus carnes perdió el sentido de la almendra: amo la piedra y vómito minerales.
Ese corazón marchito, acelerado a destiempo me impregna el gesto... la sonrisa y el amor por los vientos; pero no, hay senderos al bosque tejidos de ilusiones... sin sensación de muerte y opacidad. Con ritmos febriles que dilatan la pupila. Esos caminos a tierra de Ítaca, de pequeñas espinas, en puro monte... de saberse no mortuorio.

Quizás dejé de amarte, amando la sombra de tus ilusiones... tu caminar menudo.

Subí al monte de los osos y reviví episodios asombrosos... círculos del imaginario. Allí sentí la nostalgia del ocaso, y las necesidades fatuas. Percibí las pupilas dilatadas, las cien excusas, la respuesta y la voz de unas manos púrpuras; que en aquellos tiempos, crearon de la nada la palabra... cuerpo. Ese latido de muerte súbita con sabor a pachulí.

XXV

Qué escaleras elevas en el trágico altar
dónde está la plegaria que sube como voluta,
es en esta locura contra el límite que arrojas el dolor en su pérdida,
¡Ah! El usufructo en posesión de eterno escape
el grosor de la materia que roe estas anchas calles.

¿Es acaso que la sombra escribe lo sagrado en tu lápiz? ¿Es la funesta cabellera el amargo amparo de la luz?

Ermitaño a solas, herido en la fuerza del impacto.
Sobre el callejón lúcido... los baños públicos,
la heroína que subvierte el tacto de su experiencia,
un Apolo de la energía, contra la energía,
un Dioniso a tientas, que se escurre en la violencia de la sospecha.

Conocimiento de muerte riega este brioso trillar,
con tu ausencia maldita, el espejo reproduce la ausencia de ser,
la materia danzando inocente en su pozo…
y Cronos-Saturno aniquilando a sus hijos-mercurio.

XXVI

¿Quién conoce en la profundidad de este rocío
enrarecido?

¿Quién colma en esta copa el aplomo de los
rieles?

En la superficie me encuentro como origen...
Es en la necedad del lago como reproduces el
universo.
La luna como sustraendo histórico
En la pubertad cósmica inhalas tu propio
exterminio
La gracia y la ternura sobre la oleada de una
amiba
Una sonrisa que crece como muerte voluntaria
Y en el arrojo crecido de la oleada
Un sueño, una pesadilla
En esta mirada del otro
En la piyama estampada

El occiso mortal
La caída grosera
el sollozo del cuerpo aparecido
Un fantasma fallido

ESOPO

"El que posee el lenguaje (...) no le permite utilizar el lenguaje, es igual que el esclavo: un sonámbulo".

Iván Silén

"La noche del tiempo supera el día...".

Sir Thomas Browne

"El revés de la sombra no es el cuerpo ante el agua...".

José Lezama Lima

Como no ha bastado, ni para soñar, ¿sino el preguntar? New York, un lugar del destierro. Una paz -¿apenada o apurada en sorbos?-; escalera en electra, pederasta en dos tiempos: el último como ego herido, y el primero una imagen-desgaste.

Murallas-distancias: que humillan la voz. La partitura quieta de una gran aventura; aquella en que la vía es el propio tren; porque mudez y habla es el matrimonio donde la novia no tiene vulva, no tiene labios, no tiene miembros. Sólo espectro: sombras de una ilusión. Allí donde el hombre es el sustantivo y lo narrado.

¿Qué es el himen?

Un tabú: la escritura de occidente; el escaparate -y desde luego- la mercancía como extrañeza subvirtiendo el objeto; convertida en sujeto: en ciencia del progreso. La mitología alude que el mundo que palpamos es una imagen abandonada, creada por un subalterno decrépito. En el mundo actual (el del sujeto *sapiens*), el rostro que sostiene la imagen (¿metáfora?), es una triple adecuación de la belleza, cuya euforia esconde la ascesis de lo difuminado. El aliento del vacío… El verdadero taumaturgo es el destructor incoado en el centro de un devenir: quizás es la experiencia de un punto gramatical.

La sombra que deviene en la muerte en la madre.

Una revolución es un incesto, un oscuro concubinato. La (El) loca (o) prostituta (o) -la imaginación- más allá de la frontera, la muerte del horizonte; el sexo como herida. Y a pesar de todo: la historia como regreso al agua. La destrucción del camino, el "ello" en estado denso. El vientre como inconsciente: es la historia como vertiente (¿histeria factual?): la vuelta al semen del padre, y el libro como seducción… ¿Es el texto la muerte "coherente"? Es la guerra del concepto.

¿Quién se robó el niño?

El que puntualiza (y no quien escribe) no está del lado de los enterradores -caso particular de un poeta en New York-, sino en el seno de la asfixia, no dentro del ataúd, sino más abajo: entre el núcleo y el electrón. Un mineral que conjuga la excepción como casualidad fálica. Un ser macho (aparentemente femenino) logró la captura legal. En Haití, la iniciación se da a partir de tomar en el cuello sangriento de un macho cabrío, la sangre que aflora a borbotones. En la experiencia traumática -y la del texto además- la iniciación es una torcedura del cuello: ¿al ensayo?; o se trata de ver el rostro ilimitado con los ojos del otro (que son los míos), por una inversión atea y espantosa que es el de ella... un enemigo irreconciliable. Perseguido a muerte por toda la eternidad, que nota que quien persigue no posee cuchillos, ni arma alguna. Quien mata así, se mató primero de un "espanto sin fin". La otra muerte es la del animal sin cabeza, absorto por un iniciado oscuro que proyectó la cabeza con cuernos, y como ilusión líquida: la tinta del lápiz como vertedero sin igual.

"(...):Dejad venir a mí el azar: es inocente como un niño"

Niertzche trató de olvidar su silencio innato en profunda locuacidad. El extranjero que presentamos asume la equivalencia de lo "alienado". Muestra de alguna manera la caricatura delineada de un rostro fantasma: la figura de la madre política abusando de una ternura heredada; tal es el caso del autor Queneau. En perspectiva inversa, el autor, Philippe Sollers establece: que las proposiciones mistagógicas se ejemplifican más cerca del "vacío" que de la voz, o lo inverso, que todo texto es una voz con ser, (una grave particularidad... la denuncia a repetir; es como convocar la vieja alquimia del andrógino).

La escritura política y lo bello

En Flaubert se hiere una epidermis. Se asusta la desilusión porque se trata de un trasero. Un conducto opaco (¿una cierta tradición?), que acumula un despliegue sin favor. Detrás hay una intención histórica: que la palabra represente. ¡La escritura-poder! Ese seno-lecto que encadena a la especie. La negación impeditiva hacia su propia fluidez.

UNICORNIO

"...El goce del texto con frecuencia, no es más que estilístico: hay dichas expresivas, y ni Sade ni a Fourier les falta. A veces, sin embargo el placer del texto se lleva a cabo de un modo más profundo (y es entonces realmente cuando podemos afirmar que hay textos): Cuando el texto literario (el libro) transmigra dentro de nuestra vida, cuando otra escritura (la escritura del otro) acierta a escribir fragmentos de nuestra...".

Roland Barthes

"Seréis como dioses: ¡Renacerás como garganta hacia la voz!".

Anónimo

"Yo debo a la sombra algunos dones...".

Jorge Luis Borges

La cualidad es un adjetivo que refleja lo mórbido en irregularidad. Así pues nos enferma de materia (regularmente: voz), o conciencia. Necesitando a lo largo muchos "yoes" (limitación escalonada de un sujeto metafísico): de ahí una larga ilusión, y la más grande con el movimiento: poder percibir que todos no son él: un materialismo vulgar; pero la percepción nítida de que cierta flor aqueja un signo en deterioro. Hay una imposibilidad de aliento en el conocimiento de lo uno (¿una paradoja?), cuya otredad no es el opuesto.

La prosa poética latinoamericana en los Estados Unidos en perfecta extensión-diseminación. Consecuencia de otro parto doloroso, el que se dice en un entreacto de Broadway y Roosevelt Island. Una penosa lengua que realiza una dicción a tiempo abierto: todos los grandes estados incluyendo la suprema voluntad de creación. De ahí la soberana consigna de una pérdida manuscrita: obligatoriedad en el negándose. ¿Hacia la meta sin *telos*?

Para Proust el texto es carta o misiva (tortura que se deviene) en un problema superior como inconstancia. La clara sospecha de la actualidad en fuga (y la facilidad de Descartes en el *Cogito ergo sum)*, que inaugura una pre-muerte; no en el agujero del poeta barroco, donde se vacía lo connotable -¿los textos?-, o se plenipotentizan los significantes para su segunda muerte. La familia (por un problema de símbolo, la palabra acecha como el padre *logos* del argumento);en cambio, la frigidez vespertina de la edad-tiempo, acusa con vehemencia al concepto como pérdida y olvido.

El óvulo-esperma en conjunción postmoderna con el nuevo planeta o luna cercana. Allí en la ficción no habrá dos movimientos: de rotación y traslación, sino aquel en que el silencio se silencia (apertura circular del viaje más intenso de la cópula cósmica). Después de lo otro, el habla misma, y los códigos occidentales han premiado con un pergamino doble: "nosotros" no implica el lente de lo plural en funcionalidad filosófica, ni tampoco el vacío pronominal del reflejo de lo acústico como imagen; sino el dato como radicalidad extrema de una subversión oscura.

La negación a Saussure es un entreacto del habla y la escritura. Esta revelación del poema (y no como oposición o signo, produce un desdecir oblicuo); donde el habla desdice de lo suyo en obnubilación centelleante.

Hay sobre todo una gran distensión con Hegel: la voz es un panorama disimulado a ultranza; oculta en su hondura lo que Maurice Blanchot revela: "La presencia de la poesía es venidera; viene más allá del porvenir y no cesa de venir cuando está ahí. En la palabra está en juego una dimensión temporal distinta a la que denominamos por el tiempo del mundo, cuando esa palabra pone al descubrimiento, por la escansión rítmica del ser, el espacio de su despliegue".

FRAGMENTOS-TEXTOS

¿Por qué Heliópolis? Ni tan siquiera el fragmento de la memoria, (ésta como naturaleza insoluble: "todas las monstruosidades violan los gestos atroces de Hortencia. Su soledad es la mecánica erótica (...), ella fue, en épocas numerosas, la ardiente higiene de las razas"). Porque para saber (del *logos*), se vive en la intemperie; en la zona conspicua, siendo ella y más allá de ella: la que olvida que siempre es sueño. Hay en ese precipicio, un espanto granizado.

¿Es que acaso la noche adquiere sus entrepiernas antes de iniciar la siesta?, para un extraño esqueleto (perseguido por el obsceno pensamiento o por un sin fin del mismo infinito: de la *Carta del Vidente*, que Rimbaud exorciza "Porque yo es otro. Si el cobre despierta clarín, no es su culpa. Esto es evidente para mí: asisto a la eclosión de mi pensamiento…"). Lejos, pero cercano al objetivo que mitifica se vive este esplendor-marchito. Como puntapié del desempeño. "Arriba" sopla el plasma... la insidia que vaga por el eterno callar de su propio dolor.

En la formulación se invita a una rara fiesta. A un grave sacrificio (¿compromiso?), que adviene bajo nueva esperanza; pero ya como aniquilación (para el vivir de su muerte o el propio resurgimiento de una voz: ¿Estilo?, terriblemente sola, que habla porque silencia el gesto). La respiración oblongada de una aniquilación: "¡Salvad las tumbas, hombres superiores! ¡Despertad los cadáveres! ¡Ay! ¿Por qué roe el gusano todavía? Se acerca, se acerca la hora; zumba la campana; aún resuella el corazón; el gusano, el gusano del corazón roe todavía. El mundo es profundo". Nietzsche aspira a un *eros* para su propia aniquilación: a una enfermedad -que fosiliza y advierte- en su agonía.

En la poesía que se adivina una *sofía* vive un gusano hirviente. ¿Qué es la roca?, una hilaridad de pensamiento (océano gris... mutante); es decir, la propia imagen en la cuna. La agonía paroxística de un dios (ateo ante él mismo: ¡Cuidado!, que todavía cree en su propia o ajena pesadilla. La escritura eyacula desde el error a la vida).

En esas rocas están nuestros nombres: pero aquellos permutan virginidad y altar. Nuestro lenguaje posee el engaño; la monofobia educativa: la repetición y lo clasificable que adivina el adiestramiento oriundo. La conversión de *Eleusis* en plenitud de tragedia: el hombre-agua perdido, (¿hipótesis de la escritura vulva? Androginia en búsqueda...).

ASÍ DE VERDADERA ES... (LA TRAICIÓN)

¿Qué se adivina en lo que se fue?, lo que nunca ha sido; lo que el pensamiento ideó como matriz infeliz. Como arquetipo de la sombra: un rostro atrayente. ¡La distancia!, esa verdad que reniega a su propio fuero. Lo que veo, (¿si acaso el ojo viera sin memoria?), está en el iris (...) como delirio.

El comunismo de la ficción: avanzar a partir de una totalidad... en un movimiento deshidratado; volviendo opaco (¿cibernética?), la transparencia de todo signo determinado. De una vez por todas, permitir que el poder adquiera su "dimensionalidad". En algún lugar habrá un vericueto paralelo señalado por Roland Barthes: "donde el trayecto que separa habitualmente el hecho del valor, está suprimido en el espacio mismo de la palabra, a la vez como descripción y como juicio". Porque "Ser" es el abandono: esta gran posibilidad que se tiene sin poseerse ni siquiera vivirse. Hay una máscara en el demiurgo, sólo al rebasar el instinto de la supervivencia adviene su contrariedad: "Todo es falso en él; muerde, el muy arisco, con dientes robados. Hasta sus entrañas son falsas". El autor enfrenta el pilar fundamental del "conocer". "Una confusión de las lenguas del bien y del mal: os doy ese signo como el signo del estado. A la verdad, lo que indica ese signo es la voluntad de la muerte; está llamando a los predicadores de la muerte". Nietzsche, y las repugnancia de las culturas; del "sí mismo".

El poema contemporáneo se reabsorbe en la nulidad. Pero quién es el no-ser que no sea una afirmación. Preguntemos: crepúsculo u oscuridad, ¿crepúsculo y memoria?; en la última se expresa la naturaleza impersonal, (si es factible mencionar "como se nombra" a la naturaleza). Porque la que es, está como falla de una gran caída; de un teatro no referente o el acaso de una gran determinación (en el indefinido de Barthes...): "*Larvatus Prodeo*", me adelanto señalando mi máscara con mi mano. Ya se trate de la experiencia inhumana del poeta, que asume las más graves de las rupturas, ya la mentira creíble..." porque en el conocer se embiste el instinto, y se asegura lo arquitectónico (la forma), ya se intervenga como momento, o como mercancía en un *logos* inscribiendo, porque de lo contrario un cuerpo (¿lo desconocido?), acostumbra a tomar conciencia de su estado: de noche-cósmica: de escritura al revés. "La forma se hace así más que nunca un objeto autónomo, destinado a significar una propiedad prohibida (...) gracias a la cual el escribiente impone sin cesar su conversión sin trazar nunca la historia de ella". Se hace anormal advertirlo, en la dirección de Roland Barthes; pero es para enfermar ("¿de salud?") que se impone la nueva pragmática; la escritura como instrumento político por excelencia: el acto. Esa deyección contemporánea sin heroísmo, o como héroes-hormigas que se conjuntan en la legión de los solitarios de *Las flores del mal*:

Tú, cuyos ojos saben en qué Arsenales
amortajado el pueblo duerme de los Metales
(...)
tú, que por consolar al débil cuando sufre
a mezclar nos enseña salitre con azufre
(...)
Bastón de desterrados, lámpara de inventores, de ahorcados
confesor y de conspiradores
(...)

Baudelaire... ha convocado a la naturaleza no predictiva, pero accidentada. El encuentro de una gestación desterrada a partir de una pérdida fatal: el prelenguaje, ¿balbuceo-infantil?, con el mundo-vigilia ("la mentira fálica"). Para "ordenar" una letanía se utiliza un instrumental musical: el ritmo (o la *Aquakinesis*) que sirva para precipitar un fondo de luz barroca y abstracta, de donde se posibilita el pronombre personal como tragedia (o la ilusión escribiente); este fondo infantil está en el comienzo -más allá, si es posible- de la palabra... más cercano al gesto, parecido al silencio y que se olvida en la risa: la escritura trágica...

ECOS DEL SILENCIO (SIGLO XXI)

El ojo registra esa "subida" del abismo, previa al "descenso al sepulcro". Un ojo petrificado en esa visión es un ojo electrizado, fascinado, poseído por el vértigo. Desde ese instante ese ojo todo lo verá desde y a partir de esa visión que ha subido hasta él y se ha apoderado de su campo visual. Un ojo así está perdido para el mundo, para las "ilusiones del día".

Eugenio Trías en *Lo bello y lo siniestro*

EL IDILIO DE LOS SENTIDOS

Una presencia de hálito en el otoño
cual sedante de la primavera
advino tartamudez del olvido.

Un sempiterno temblor como de terremoto
oculto
subraya como lamento.
La ciudad respira el aliento taciturno
cuando el espectro ya aparece.

Sonámbulo y precoz en el espejo
el emblema del ser vive y se desvive.
Cuasi a cuestas en el empeño de la nada.
Un insecto renace de sus miembros ya caídos.

La voz no es acústica reverberando,
Es la sinapsis de un aparecido.

LA ESPERANZA Y LA PONCHERA

El vórtice prelude un desafío
un espacio de lo otro,
otra figura en el lago convulso.
El apretón de manos solvente reincorpora la risa,
donde dos muñecos de celuloide ríen y
disgregan...

Uno vierte sobre su mecanismo
Una risotada de alambre
y el otro vomita luces de entresijo
así jugamos con un mecanismo del tiempo.

Cesará el borde del movimiento repentino
y en su lugar un aplauso inesperado
del muñeco cuyo timbre ha iniciado la trayectoria.

DE LA OTRA VEREDA

Ausculté una brizna de su polen
marcado por un insomnio de la soberbia iracunda
promoví el color del espanto sobre la flor recién nacida
permutando de la flor lo itinerante del color.

Crecí en el capullo sombrío de un destello
y de repente el viento... este insolente fantasma
evaporó por siempre en mil átomos
las alas naranja del gusano transformado en presencia.

UN EMBLEMA MUSICAL

El prado avanza con un gesto de dolor al unísono
de las aguas tóxicas del camino real.

Hay un polvo hirviente en el aflorar
de la corteza desnuda de un tronco vasallo.

A lo lejos una nube sempiterna
refleja en la superficie oceánica
un espectáculo inusual... una ciudad en ruinas.

Desdibujada hasta el éxtasis
lo comunal camufla un hedor hendido
en la mirada de los muertos civilizados.

RESPIRO DE LO VACUO

Esta cotidianidad arremete al estallido de tacones
que cual ritmo de veces apetece el deshielo del
cemento.

Hay una historia de pisadas y el estruendo no
registrado de otra asincronía.

Miles de insectos muertos al compás de este
tránsito
la vida no muta
y las bacterias y amibas exhaladas en un único
sitio del caminar…

EL DESHIELO DEL VERANO

Todo tránsito es vejez del aliento
y de la figura…

Del todo y de la nada pende el hueso horneado
por el sendero sin principio y final.

La mirada salpica este estercolero de la brisa
plegada a la sonrisa motriz para el olvido.

Y así y nunca se crece y se palpita
todo al son del trillar
vuelo y descenso multicolor en trinos del ajuste.

LA VEREDA HACINADA

La belleza altiva del césped se eleva cual
unicornio
con su espesura en detalle
sin comisuras de traición de pisadas extrañas.

Solo el soplo extra geográfico
se apasiona de saberse no único.

El idilio renacido no advierte la sombra
despiadada
de la callosidad del tiempo.

A pesar de la piel transformada en serpiente
el rugido de un pasado en tempestad bravía
alcanza el latido sonámbulo de un monje en
desagravio.

LLEGADO DE LEJOS... BIEN LEJOS

Siempre con un yo a cuestas proveniente de la nada
de una substancia sin nombre y apellido
sin rostro reservado al escuálido negado y afirmado.

Al buscar el quién soy
una carcajada sin matiz provoca un vómito inesperado.

El nacimiento es constante al pronombre personal
lo que se adhiere al sueño del Ser.

Muy atrás del olvido y previo a la palabra
el balbuceo es gesto infinito.

LA SOMBRA COMO DESTELLO

Era una vez un espanto fingido
cuya aproximación es tripartita.

Uno de ellos camufla la luz y absorbe aliento
cósmico
otro late al unísono de un corazón coralino
como si el agua fuese la diástole de un
sempiterno remanente.

De repente... lo otro retoma una figura del
tiempo anciana y calva.

DEL INSTANTE NO LÚCIDO

Era la voz quien prematura se crea y se adapta al viento.

Como un espejo que se encuadra a un abecedario insólito
casi ahogado de segundos tras horas y días.

Permutando la palabra que se encadena
cronologías insospechadas
de un sendero inhabitado.

Culminó detrás de vidrieras rotas
asegurando todo del todo y la posibilidad de ser otro en un fragmento...
Consumo rocío de sueños
que alcanza un pentagrama sordo.

LA FORMA DE LA SUPERFICIE

Desmentido el aullido del clarinete
con sorbos litúrgicos en Mozart
que calcinan la espiral del aliento.

Una torpeza se inicia con cadencia mutua
de ecos y melodías sombrías
¿Es la cascada y el alud que permanece?

Soy yo quien aquejado de la fiebre del tiempo
en cuya búsqueda me sorprende el horror *mundi*.

Invertido el colofón de la risa
asoma transmutante una lágrima perecedera.

EL FETICHE DEL ROSTRO

Miró detenido en la distancia
y visualizó lo inesperado.

La cosa aquella derruida
y el ser-en-el tiempo mudo...
Recaló en profundidad
vio el polvo del humor constreñido.
Divisó solapadamente que el horizonte
cae de bruces en la gravedad de la piedra.

Un temblor de bruces y una coincidencia
el corazón que dilata el mundo
era la sístole del suyo.

El muro es el sentido de su rostro
con arrugas y mermeladas
sin rostro con oídos mutantes
lo humano es un espejo vacío.

XXVII

La puerta entreabierta de un despertar
confundida con la muerte irredenta.
Una película se precipita donde el agente es el
otro yo...

Un silencio de ánima mortis sobrecoge a un
estercolero de emociones.

La cinta es inversa y el tiempo clama su
presencia...

Los días transcurren veloces y la mirada ya no
es crepuscular sino reflexiva...

El fantasma es lo real
la estatua cobra vida en la encrucijada
se salpica el espacio estirado al mutismo
y quien mira... es la mirada misma.

XXVIII

Escombros subsidiarios van al unísono
de un delirio arropado de cruces
y de ternura inversa.

Avances van y derrumbes llegan
la cicatriz emula el himno latente
de un destete a tiempo…

Casi siempre incómodo el entrecejo
de la vista y nulidad en ciernes
una carcajada glamorosa de gladiolos vírgenes
laten cual escoba mutante.

XXIV

Respiro el *prana* mugido de un estiércol
que Baphomet inició en un mugido…

Arrastrando la mirada incorpórea de un salón
oblicuo
sus destellos calcinan lo unidimensional
el no-saber perpetuo hiere el cosmos.

Aposado el caracol protege la concha
un sentido de lo oculto frente a las estrellas
Do, Re, Mi, Fa, Sol, La, Si inicia el verbo
el estallido ya era eco sobreviviente de la matriz
inversa.

LABERINTOS II

ECOS DEL SILENCIO
(SIGLO XXI)

Esteban A. Torres Marte: escritor y ensayista dominicano residente en los Estados Unidos (oriundo de la provincia de Santiago Rodríguez -Municipio de Sabaneta-). Laboró como profesor universitario por dos décadas en la institución de educación superior City University of New York. En la actualidad ocupa la cátedra de Teoría de la Lingüística y Fundamentos de la Lingüística Aplicada a la Lengua Española, de la Universidad Pedro Henríquez Ureña (extensión de New York).

Obtuvo su Bachelor Degree en The University of The State of New York; y el Master's Degree en State University of New York at Buffalo (especialidad en Estudios Americanos-Multidisciplinarios); y Transcript-Master's en el City College of New York (especialidad en Literatura Hispanoamericana). Obtuvo su doctorado (Ph.D) en la Universidad Europea de Cambridge.

Ha contribuido críticamente como co-autor de la obra: ***Handbook of Latinamerican Literature*** (Garland Publishing, Inc., New York & London, 1992). En marzo de 2007, publicó la obra ensayística, ***Exordio 6,*** (ediciones El Salvaje Refinado). En enero de 2008, publica la obra multiensayística ***De lo Definido a la Incertidumbre,*** (Obsidiana Press). Y en octubre de 2008, edita, ***Espacios [Transversalmente] Cruzados,*** (TRS Press). Publica en 2009, **De Géneros Literarios: Orígenes,** (Ed. Obsidiana Press). Obtuvo el Premio Internacional de Ensayo del Comisionado Dominicano de Cultura de la ciudad de New York con la obra: ***Antropología Dramática,*** (2012). En 2014, edita, ***Antropología de***

las Ideas, (Editora de la Universidad Autónoma de Santo Domingo -Ediciones del Ministerio de Cultura Dominicano-, 2014). En el mismo año publicó: ***El Teatro en el período de la Independencia Dominicana y las Vanguardias dramáticas Hispanoamericanas,*** (Editorial Santuario). En 2015, publica: ***Semiología y textualidad,*** (Editorial Createspace/Amazon). Su reciente texto es: ***Memoria y pensamiento clásico,*** (Editorial CreateSpace/Amazon, 2015). Ha sido antologado como ensayista en la obra: ***Ventanas navegables, II,*** (Editora Nacional del Ministerio de Cultura y el Comisionado de Cultura de New York,2016); y además en la obra antológica ***Colección Poética* LACUHE, 2018**.

Es co-fundador de la revista Latinoamericana: *Letras e Imágenes*, la primera publicación que a principios de los Años Ochenta mostró el arte desarrollado por los dominicanos de la diáspora. Fue miembro de la redacción de la publicación *Caronte* (proyecto cultural, dirigido por el escritor puertorriqueño Iván Silén); y de la revista *Punto7.*

En estas publicaciones literarias contribuyó con trabajos ensayísticos:

EMEM-*YA*: "Lenguaje y Metafísica en los Huéspedes Secretos" de Manuel del Cabral, (New York: Vol.- 1, enero de 1989). "La inmigración/Apuntes para una Teoría de las Imágenes" (Vol.- 11, julio-diciembre de 1989).

CARONTE: "Aproximación al estudio del poema *YELIDÁ* de Tomás Hernández Franco" (New York: Vol.- 1, 1983).

***PUNTO* 7**: "La Caída y la Imagen" (Vol.- 111, 1985).

Suplemento cultural: ***Cultura 2000***: "La Estrella de Belén (Mitologías Religiosas)" mayo de 1992.
Periódicos:
NOTICIAS DEL MUNDO: "El Lenguaje en Juan Carlos Onetti" (New York: 25 de agosto de 1985).

Simposios:

En **2006 y 2009** respectivamente, fue invitado a la Feria Nacional del Libro de Santo Domingo, por el Comisionado de Cultura de la ciudad de New York (perteneciente al Ministerio de Cultura de la República Dominicana). La ponencia en el primer encuentro se intitula: 'Orígenes, desarraigo y proyecto cultural de la Diáspora'. En el segundo: 'Criticidad a los modelos tradicionales de interpretación literaria'.

2001:SEGUNDO SEMINARIO TRASATLÁNTICO DE LA LENGUA CASTELLANA. DOS LENGUAS EN CONTACTO: ESPAÑOL E INGLÉS. (Instituto Cervantes: Auditorio del Banco Hispano Santander. Ciudad de New York). DIPLOMA: Instituto Cervantes. 14, 15 y 16 de marzo, 2001.

1997: PRIMERA FERIA REGIONAL DEL LIBRO: Santiago, República Dominicana. PRESENTACIÓN: "La Diáspora: Antidiscursos. Misterios. Postmodernismo: cronologías".
Con ésta enfatiza su ruptura con el espíritu de sistema en los estudios antropológicos y culturales.

1994: (English): DOMINICAN LITERATURE AT THE END OF THE CENTURY: DIALOGUE BETWEEN THE NATIVE LAND AND THE DIASPORA. (Institute of Latin American Writers –Institute of Dominican Studies/CUNY- The America's Society-.

Council of Dominican Educators-Dominican Studies Association). PRESENTATION: "Post-Modern: Writings and The Diaspora".

1989: PRIMER ENCUENTRO LITERARIO DE LOS DOMINICANOS EN NEW YORK. (Casa Cultural Dominicana y la organización Centro de Arte Ollantay, New York). PRESENTACIÓN: "De poetas, textos y cronologías".

Periódicos: *NOTICIAS DEL MUNDO*: "El Lenguaje en Juan Carlos Onetti" (New York: 25 de agosto de 1985).

1989: HOMENAJE AL POETA DOMINICANO MANUEL DEL CABRAL EN NEW YORK. (Casa Cultural Dominicana de New York y Universidad Autónoma de Santo Domingo, República Dominicana). PRESENTACIÓN: "Lenguaje y Metafísica en Los Huéspedes Secretos de Manuel del Cabral".

1989: PRESENCIA DOMINICANA EN LOS ESTADOS UNIDOS. (Lehman College of The City University of New York). PRESENTACIÓN: "Mitologías en el Discurso Dominicano".

1986: PRIMERA CONFERENCIA INTERNACIONAL Y MULTIDISCIPLINARIA SOBRE LA REPÚBLICA DOMINICANA. (Rutgers University, Essex County College y Seton Hall University, New Jersey, Estados Unidos). PRESENTACIÓN: "Perspectivas de la Literatura Dominicana en Estados Unidos".

Reconocimientos:

LA SEMANA DE LA CULTURA Y LA HERENCIA DOMINICANA. El 26 de febrero de 2009, El Senado y La Asamblea del Estado de New York le confieren el Certificado de Honor "Citation" por su labor investigativa y de apoyo a la Cultura Hispanoamericana en el Condado de Queens, New York.

Respectivamente en **2009**, participó en la IV Feria Regional del Libro (en la provincia de la Vega Real, dedicada al gran escritor y político Juan Bosch). La provincia a la cual representó y de la que es oriundo (Santiago Rodríguez) le dedicó un día especial en dicho evento con un gran homenaje a su labor como escritor y representante cultural de la diáspora dominicana en Estados Unidos.

Otros aspectos intelectuales:

En 2018 fue homenajeado en la Feria del Libro en la Universidad Lehman College (City University of New York) por la organización **The Latin American Cultural Heritage Inc. (LACUHE)**.

Es consejero en educación y estudios alternativos/validación de títulos extranjeros en Estados Unidos. Destrezas personales: conocimientos bilingües: castellano e inglés. Conocimiento en latín (exseminarista en el Seminario San Francisco de Asís en la República Dominicana).

Membresía:

Director ejecutivo de la ONG: THE PEDRO HENRÍQUEZ UREÑA RESEARCH CENTER.

Miembro del organismo norteamericano: Alliance for Retired Americans.

Miembro del Instituto Cervantes de la ciudad de New York.

www.lacuhe.com
lacuheediciones@gmail.com

Made in the USA
Middletown, DE
21 September 2021